コンプ
レックスは
武器になる。

JN100036

青山裕企
Yuki Aoyama

技術評論社

ポートレート（人を撮る）専門のカメラマンとして20年近く、
一般の方から芸能人まで、
あらゆる女性を見て、撮影してきました。

写真を撮るたびに思うのですが、
女性はみんな可愛くて美しくて、素敵です。
年齢もスタイルも、関係ありません。
それぞれ違って、それぞれ魅力的です。

目には、魔力にも似た、底知れない魅力があります。
見つめられるだけで、気持ちが高まります。
一重でも二重でも、大きくても小さくても、
関係ありません。

ふとした仕草に上品さを感じたり、
時に色気を感じたり。

しゃがむだけで、小さく可愛くなって、
見上げるだけで、上目使いにドキッとさせられます。

でも、
女性の写真を撮るたびにびっくりすることがあります。

可愛いと思って撮った写真を本人に見せると、

「キモい」って言うんです。

「え?!　こんなに可愛いのに……なんで?!」

あまりの評価の違いに、
私は写真の腕を疑ってみるのですが、
話をよくよく聞いてみると……

「(自分が嫌だなと思ってるところが写真に出てて)キモい」

そんな意味のようです。

興味を持った私は、女性たちに聞くようになりました。

「自分の顔や身体に、
嫌なところ(コンプレックス)はありますか?」

そうしたら、出るわ出るわ……
みんな、コンプレックスの塊でした。

なかには、
「え?! それ、魅力だと思うよ?」

という、
どう見てもポジティブなもの（身長が高いとか）もあったりして、
私は混乱してしまいました。

こっちは
「可愛いな」「素敵だな」と思いながら撮っていても、
彼女たちは
「嫌だな」「撮られたくないな」って思ってるのかもしれない……

そこで私は、心に決めたのです。

あなたがコンプレックスに
感じてるところが、
じつは魅力的であることを
伝えたい。

コンプレックスの見方を
変えられるようにしたい。

つい隠してしまう、コンプレックス。

嫌だなと感じる自分のコンプレックスを、
少しでも好きになってもらえたら……。

こんなにうれしいことは、ありません。

あわよくば、
コンプレックスを武器に変えて、
自分らしく生きられるようになりますように。

3章

自分を磨いて、
いつまでも魅力的に

1 章

Love your face, realize your charm.

コンプレックスは、
顔に集まっている

いろんな目をしよう

女性の自撮りを見たときに、
思うことがあります。

「意識して、目を見開いてるな」

目って、大きく見えたほうがいいですよね？

人を見るときに、まず目を見るのが自然です。
人が写っている写真を見るときも、
まず目に視線がいくのです。

目って、すごい力を持ってるんです。
目の印象が、
ほぼ顔の印象を決めているんじゃないだろうか
とさえ思うときがあります。

だからこそ、
写真を撮られるときに目を見開いてしまうのは
当然のことかもしれません。

「印象を少しでも良く見せたい！」

写真に写るときは、姿勢を良くする、
あごを引く、お腹を引っ込める……
それらと同じようなものです。

ただ、
見開かれた目は、
ちょっと怖い印象があります。
すごく驚いたときとか、
ものを強く見ようとするときに、
人は、目を見開くからです。
力が入っていて、
強張（こわば）っている感じがします。

表情に緊張感を
持たせてしまうと、
相手に好印象を
与えることはできません。

いくら目が大きく見えて、
印象がプラスになったとしても、
緊張して見えることで、
マイナスになってしまいます。
適度なリラックス感が、
相手に親しみを感じてもらうための
秘訣なのです。

笑ってる時って、
目がふつう細くなるじゃないですか。
たぶん、そのときの目を、
本人は気に入らないでしょうね。

「目、ちっさ！」

そう思うはず。
ただ、考えてみてほしいのです。

笑ってる人を見て
「こいつ目が小さいなー」って、思います？
印象がマイナスに感じるものでしょうか？

まず、思わないでしょうね。
だって、笑ってくれてるから、うれしいから……ね？

見開かれた目と、細いけど笑ってる目。
もちろん細い目のほうが、圧勝でしょう。

だから、
目は細くても問題ないんです。

極論でしょうか？
いえ、私は正論を話しています。

日常生活の中で、
だれしもいろんな目をしています。
家の玄関を出るときから、
目を見開き続けて生活できますか？

……無理ですよね（笑）。

てことはですよ。
まわりの人たちは、
あなたのいろんな目を見ながら
コミュニケーションしてるってことなんですよね。

「ああ、今日も目がちっさい」

あなたは朝化粧するときに鏡を見て、
落ちこんでるかもしれない。
けれど、まわりの人たちは、
あなたの目の大きさで、
印象や性格を判断していません。

あなたのいろんな目を、
楽しんでいるのです。

切れ長の目をした美しい女性もたくさんいます。
目も個性だと思うので、
一様に大きく見開かれた目よりも、
自由な目になれるといいですよね。

一重だって、個性です。
人形のような、アニメのような
パッチリお目目に憧れる気持ちもわかります。
でも、そのままの目のあなたが、素敵なんです。

カラコンしてる女性も、けっこう多いです。
撮影中には案外気づかないこともあるのですが、
視力矯正でもないのに、わざわざ瞳を大きくしたり。
それぐらい、自分の目を気にしているんです。

写真を撮る時に、少し気になることがあります。
カラコンしていると、
瞳の表情（あるんです）の変化がなくなるので、
死んだような目に見えることがあるんです。
マスクしてるようなものなので。

もちろん、カラコンをすることで瞳が大きく見えるし、
色もファッションのように変えられるので、
印象がよくなることも多いです。
気分が高まるようならカラコンもいいでしょう。

ただ一方で、裸眼の魅力もあることを
知っておいてもらえたら嬉しいです。

いろんな目をして、
相手を楽しませよう

もしそう思えたら、人生変わりますよ。

笑って歯を出そう

　コンプレックスは、顔に集まっている

女性の笑顔って、最強です！
今までどれだけ笑顔に癒され、
救われてきたことでしょう。

だけど、事態は深刻です……。
なぜかというと、
多くの女性はこう言うんですよ。

「自分の笑顔が嫌い」

なんでー?!
自分の笑顔を嫌う心理って、
どういうことなんだろう？

「目が細く小さく見えてしまう」

それも大きな原因のひとつですが、話を聞いてみると、
より深刻な問題が口の中に隠されていました。

……そう。歯です。

笑うと、
歯が出てしまうんです。

「え？　別に歯が出てもいいんじゃない？」

そう思う人も多いでしょうけれど、
歯の形って、モデルや女優みたいに、
真っ白に真っ直ぐに揃ってる人なんて稀。
だいたい、形にばらつきがあります。

そりゃそうです。芸能人は歯が命。
ホワイトニングから歯列矯正まで、
莫大なお金と労力をかけて、整えているのです。

それだけ、目と同じぐらい、
歯も印象の良し悪しを決める大事なパーツと言えますね。

「そうか、
　歯の形が悪いと、
　笑えないんだ」

たしかに、
笑うときに手元で口を抑える仕草を見せる女性が
けっこういます。
もちろんマナーとしてでもあるんでしょうけれど、
見せたくないんですよね、歯を。

人はコンプレックスに感じてる場所は、
恥ずかしくて見せたくない。
だから、なるべく隠そうとする。

ためしに、
歯を見せないように笑う練習を
鏡の前でしてみたのですが、
めっちゃキモかったです……変でした。

笑顔には、
歯が見えていることも大事なんです。

もちろん、
高いお金をかけて歯を矯正することによって、
自信を得ることもできます。
でも、
笑ってる女性を見る側の心理は
きちんと伝えておきたいです。

笑ってくれてる！
うれしい！

「でも、歯の形が悪い！」
……そんなこと、思いませんよ。

笑顔は、正義です。

笑顔っていうのは、
歯まで出してくれて、
顔が崩れてるからこそ、
うれしいんですよ。

クシャッとした顔をしてくれてるから、
心許してくれてるって思うんです。
整ってないほど、良かったりするんです。

「笑ってるけど、目が笑ってないよね」
「嘘くさい笑顔」

なんて言われる人がいますけれど、
それは表情が崩れてないからです。

口角を上げると人は笑ってると判断しますが、
笑顔の要素はそれだけではありません。

細くなった（虹の形をしている）目。
大きく開かれた口。
キュートな歯が出ているところ。
顔にしわが寄っちゃってるところ。

すべてが最高なんです、本当に。

キュートな歯って言いましたけれど、
八重歯とか、小動物みたいな歯とか、
どんな歯でもキュートですよ。
素敵な個性です。

もちろん、歯みがきなどのケアを怠って、
汚くしてたらダメですけれど。

コンプレックスは、顔に集まっている

コンプレックスの手なずけ方として効果的なのが、
だれかに認めてもらうこと。
褒めてもらうということです。

笑顔は
とても褒めやすいものです。
笑顔が嫌いな人って、
見たことないですから。

まず自分が笑顔になる。
その笑顔を見た人も笑顔になる。

友達の笑顔を見て、気づいてほしい。
「自分の笑顔っていいのかも」って。

笑顔、連鎖させましょう！

しわを消さないで

しわって、天敵。
顔にしわができると、老けて見える。

だれだって、
老けて見られたくない。
だから一生懸命、
しわを伸ばすマッサージをしたり、
努力するわけです。

写真を撮っていても、
ほうれい線が出ると
相手がNGを出すことがあります。

しわが出てしまうのを嫌がるのは、
ほかにも理由があります。
太って見えやすいんですよね。

笑うと顔も丸く見えやすくなって、
気になってしまうんです。
お肉があるから、しわができるので、
目立ってしまう。

でも、
笑ってる顔のしわを
レタッチで消すと、
はっきり言って
能面みたいになります。

……なんていうと能面に失礼ですが、
不自然なんですよね。
生きている感じがしないと言いますか。

実際の顔のしわを消すためには、
反ったり、張ったりする必要があります。
だから、顔の場合、
表情に緊張感が生まれてしまうんですよね。
（整形で無理にしわを伸ばすと、
顔が突っ張ってしまいます）

緊張感って、
伝染するんです。

しわを見せたくない。
老けて見られたくない。
だから、表情が緊張する。
その顔を見た人も緊張してしまう。

緊張の連鎖
……どうでしょう。

「しわを見せたくない（老けて見られたくない）」と
笑顔を控えていく、
表情にブレーキをかけてしまうようになると、
愛想や愛嬌が失われてしまいます。
それって、
老い若いよりも大切なものだと思うんです。

ちょっと変な顔をしてみたり、
表情のコミュニケーションを楽しんでみませんか。

子どもの頃、にらめっことかしてましたよね。
言葉どおりだと、にらみ合いなんですけど、
言い換えれば、笑わせあいですよね。

にらめっこしてるときって、
しわのことなんて全然気にならなくなると思うんです。

　　　そう、コンプレックスが全然気にならなくなるときに、
　　　人はいい顔をするんですよね。

　　　だから私は、撮影するときに、
　　　なるべくコンプレックスを忘れてもらおうとします。
　　　笑わせたり、ジャンプさせたり。
　　　ある意味、しわを作る方向に表情を誘導することも。

　　　すると、愛想が良くなります。
　　　愛嬌が出てきます。
　　　それらが、人としての魅力なのです。

しわを
愛せるようになったら、
カッコいい女性への
入口です。

横顔は鼻の高さなんて関係なく美しい

コンプレックスは、顔に集まっている

横顔を撮られるのが苦手な人って、
案外多いんです。
なぜだか、わかりますか？

鼻の高さがはっきりわかってしまうんです。
鼻が低いと感じている人からすると、
コンプレックスが強調されているように
感じてしまうんですね。

鼻って、
なんで高いほうが
いいんでしょうね？
欧米人コンプレックス
というやつでしょうか。

高さだけじゃありません。
大きさだったり、
形を変に感じたり、
正面から見た時に
鼻の穴が見える角度になっていたり。

とにかく気になってしまう、鼻という存在。
それはなぜか。

鼻が、顔のど真ん中に存在しているから。

隠しきれないんです。
目は前髪で多少ごまかせても、
鼻は難しいですよね。

コロナ禍では、
マスクで鼻を隠すことができるようになって、
生きやすくなったという声を聞くこともありました。

鼻って、
コンプレックスの
中心にあるんです。

どうしたら嫌いな鼻を、少しでも好きになれるのか？

証明写真の顔って、好きじゃないですよね？

人間の顔って、
正面から見ると
自己評価が下がるんです。

正面から見ると、左右の目の大きさが違ったり、
鼻が少し曲がっていたり。
要するに、
左右対称じゃないところが気になってくるんです。

でも、普段から人を見るときに、
真正面から見ることって、少なくないですか？
だいたい斜めから見ていると思うんです。

そうすると、
鼻の形は見る角度によって全然変わってしまう。

「正面から見た
　本人の嫌いな鼻の形」なんて、
　まわりの人たちは
　印象として思い出せないんです。

普段の生活の中で、
女性を鼻が高い低いで評価していますか？
そんな人、あまりいないんじゃないでしょうか。

「鼻が高い女性が好きです」という男性も、
あまり聞いたことがありません。

顔の印象の中で、目はもちろん印象に残ります。
ただ、中心にあるはずの鼻は、
それほど強く印象に残らないことが多い。

「人の鼻の形なんて、
　気にしていない」という人が
　大半なのが現実です。

一度、
横顔を撮られてみましょう。
鼻が嫌いでもいいから。
鼻の低さが際立ってもいいから。

鏡でも、
自分の横顔って見ることができませんよね。
だから、新鮮に写るはずです。

今までに見たことがない自分。
横顔のあなたは、本当に美しいです。

自分の横顔を見たときに、
新しい自分を
見つけることができたら。

あなたは
コンプレックスを武器に変える
第一歩を踏み出したと
言えるでしょう。

髪は防具であるのと同時に、武器である

仕事では
アイドルを撮影する機会が多いのですが、
前髪が揃っている子がけっこう多いです。
「前髪が割れている写真はNG」
という場合もよくあります。

なぜ、
前髪が揃っていてほしい（割れてはいけない）のか？
理由は大きく3つあります。

①小顔に見えるから
②おでこを出したくないから
③眉を出したくないから

前髪は、
女性のコンプレックスを隠せる
大きな防具のようなものです。

なかでも、
顔が大きいと感じている
コンプレックスは
根深いものがあります。

身長が低いと、
より頭身が少なく見える（頭が大きく見える）。
だから、髪によって、
なるべく地肌が見える面積が少なく見えるようにと、
前髪でなるべくおでこを隠すようになります。

"触角ヘア"と言われる髪型をしている女性も
けっこういますが、
顔の輪郭を隠すための防具になっています。
頬骨やエラが張っているとか、顔が四角いとか、
顔の輪郭についての悩みを、
髪で隠すことによって解決しているんですね。

単におでこが広い、または狭いことを
コンプレックスに感じている人もいます。

どちらにしても、
なるべく見せたくないので
髪で隠すようになるのです。

前髪を揃えていても、
オン眉といって眉が見える場合と、
きちんと眉まで隠れている場合があります。
後者の場合、
眉のほうが好きじゃないという理由が潜んでいます。

眉は、
メイクによって日ごとに仕上がりが変わってくるので、
うまくいかなかった日は
なるべく眉を隠したいという人も多くいます。

前髪が割れないように、
おでこが出ないようにと、髪を固めてしまうと、
動きが小さくなり、表情も乏しくなっていきます。

「コンプレックスが、露出してしまう」

そう思うと、意識がそこに集中してしまい、
気になって自然に笑えなくなり、
自由に動けなくなってしまいます。

女性にとって、
前髪は命なのです。

コンプレックスは、顔に集まっている

仕事の場合は、
撮影した写真が使えないと意味がないので、
極力、前髪を守る方向で撮影します。
でも、前髪という防具に対して、
私は風使いの魔法で対抗する時があります。
(自然の風を利用したり、扇子などで風を起こしたり)

もちろん、
おでこ全開になってしまうほどの
強い風を当ててしまうのはNGです。

さりげなく、髪を揺らしてみる。
その場でくるっと回ってもらったり、
歩きながら振り返ってもらったり。

身体を動かすと、表情も動きます。

顔の大きさやおでこ、眉のコンプレックスよりも、
躍動感のある髪に、
見るものの意識は向きます。

躍動感のある写真は、
とてもポジティブな
印象を与えます。

眉は表情によって上がったり下がったりと動くので、
眉が隠れていると、表情が乏しく見えてしまいます。

表情が豊かなほうが、
まわりの人に与える印象もよくなります。
眉は出してみることをおすすめします。

おでこにしても、広い狭いというのは、
まわりの人からしたらほとんど気になりません。
顔の中で、地肌が見える面積が広いほど、
印象は明るく見えます。

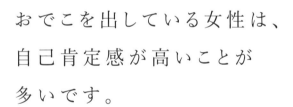

おでこを出している女性は、
自己肯定感が高いことが
多いです。

サラッとなびいた髪は、
女性の魅力を感じさせる最高の武器のひとつです。
髪を防具ではなく、
武器に変えていけるようになるといいですね！

唇は、色気を備えている

女性を撮るときに、
私は唇にけっこう注目します。

たとえば、大人の色気を表現するために、
口紅の色を鮮やかにしてもらったり。
ほんのり唇を開けて、
ウの口に近づけるようにすると、
唇に主張（色気）が生まれます。
（よく「半開き」と言いますが、
半分も開けなくて大丈夫です）

撮影するときに、
撮られることに緊張していると、
唇を横につむぐ形になって、
表情も固くなります。

唇は、顔の中でも、
印象を決めるけっこう重要なパーツになります。

鼻や耳って、そんなに動かせないですよね。
一方、目と唇は、かなり動かせます。
だから、印象も変化するんです。

笑うと歯が出るので、唇よりも歯に注目がいきます。
でも、笑わないとき、何も語らないときは、
唇に注目がいくのです。

唇にも、女性ならではのコンプレックスが宿っています。
薄い、厚い、色が悪いなどと
悩む人もいるのではないでしょうか。

ですが、まわりの人から見ても、
唇が不恰好（ぶかっこう）に感じることはまずないので、
気にしないでください。

唇が薄かったり、色が悪いと感じるときは、
口紅をうまく使いましょう。
顔に自由に色をつけることができるのは、
唇の良いところです。
健康的にも、印象的にも、
女性らしさを主張することができます。

アイメイクや頬にチークを塗るなど、
ほのかに顔に色をつける化粧もありますが、
そのなかでも圧倒的に主張を強く変えられるのが、
唇です。

「口紅を変えると、気分が変わります」

そう言う女性も多いですよね。
ファッションもそうですが、
色って印象を決める大事な要素ですから。

唇が厚いと、ぷるっとして見えて、
色気を感じやすくなると言われています。

色気とは、
品のある魅力です。

ここは、強調して言っておきたいところです。

「別に色気を感じさせたいわけじゃない」

そう否定する人もいるのですが、
人に振りまくわけじゃなくても、
色気を備えていることは、
コンプレックスではなく、
武器なのです。

武器を備えることで、
自信を得てほしいのです。

女優の石原さとみさんは、唇が厚めな方です。
若い頃は、色気というよりも、
素朴に見えていたのですが、大人になってから、
唇がとても色気を感じさせるようになりました。
歳をとることで、
隠れていた魅力が出てくることもあるんですね。

自分にとって嫌いな（コンプレックスに感じる）唇が、
もしかしたら武器になっているのかもしれません。

すっぴんのほうが
好きなんて、
言わないで

多くの女性は毎日しっかり化粧をして、外に出かけています。
家に帰るまで、顔を拭くことも難しく、
途中でちゃんとケアしながら、化粧を保っています。
それだけですごいことだなって、男性の私は思います。

美しさへの追求でもあるし、
コンプレックスの隠蔽（いんぺい）（目立たなくすること）でもあるし、
人前に顔を出すためにも、
女性にとって化粧という儀式はとても重要です。

目を大きく見せたり、
肌のニキビなどを目立たなくしたり、
唇の色を鮮やかにしたり。

いろんな化粧道具を駆使して、顔を整えるわけです。

一方で、男性たちは勝手に願望を口にするわけです。

「すっぴんのほうが好き」

かく言う私もそうでした。

でも、そんな軽はずみな言葉は、
一生懸命、化粧して美しく見せてくれている女性に対して、
失礼なことなのかもしれない……。

「ありのままのあなたが、素敵なんですよ」

一見、全肯定のように感じる言葉なのですが、
より良く見せる努力を否定していることにもつながるわけです。

今の私は、女性が化粧することを、とても歓迎しています。
なぜなら、女性たちが自信を得ることができるから。

歯の矯正だって、整形だって、賛否あるとは思いますが、
自分の顔や身体に自信を得ることができれば、
人生は前向きに生まれ変わっていくものです。

化粧は、
その日の気分や天気やファッションなどによって、
微妙に変化させています。

口紅の色の変化、ちょっと気分を上げるために、
普段より明るい色にしてみたり。
今日は目があまり開かないので、
まつ毛を目立たせてみたり。

そういった一見ささやかな変化が、
一日の良し悪しを決める大切なものになります。

あくまで自分への自信のための化粧であったとしても、
おかげで、私たちの世界が華やぎます。

今日も、
美しくいてくれて、
ありがとうございます。

私は写真を撮る側の立場として、
もし女性のみなさんがコンプレックスについて
悩んだり落ち込んでいるとしたら、

「こんな見方もありますよ」
「案外まわりの人たちは気にしていないんですよ」
「ほら、こんなに綺麗に写っていますよ、安心してください」

なんて女性のみなさんの心に化粧をして、
いい写真が撮れたらいいなと考えています。

ないものをねだるより、

2 章

あるものを誇ろう

肌の色を、そのまま愛せますように

今の日本では、
"美白"が良しとされる傾向にあります。

鼻の高さもそうですが、
欧米人コンプレックスのようなものでしょうか。

なので、
もっと肌を白くしたいから、
日焼けを避けるようになり、
懸命にクリームを塗ります。

写真を撮ったあとに、
色や明るさを補正することが多いのですが、
全体的に明るくすると女性に喜ばれることが多いです。

背景などと一緒に、
肌が明るく(白く)なるからです。

逆に、
暗い場所で撮った写真など、
肌も暗くなっていると、
"美白"から遠ざかるので、
あまり歓迎されないこともあります。

なので、写真家としては、
女性の肌を美しく見せるために、
自然光を綺麗に肌に当てて、
少し明るく補正することがあります。

色味も調整することがよくあります。

雑誌などでグラビア撮影をするときは、
少し肌に赤みを加えるようにしています。

少し赤みがかった肌は、
健康的に見えるからです。

一方、あえて肌に青みを加えることもあります。
赤みの健康的に対して、青みは病的に見えます。

……なんていうと、
よくなく聞こえてしまうかもですが、

儚げであったり、アンニュイであったり、
雰囲気のある写真に見えやすくなります。

もちろん、青みをのせたほうが、美白にも近づくのです。

女性がストッキングを選ぶ際に、手首を見ることで、
自分の肌の色の傾向が
イエベ(イエローベース)とブルベ(ブルーベース)の
どちらか判断することがありますが、
肌の補正もまったく同じことが言えます。

肌ケアは、肌の状態を美しく保つために、
とてもいいことだと思います。
ただ、なるべくなら、
本来のみなさんが持っている肌の色
そのままを愛せるといいなと思います。

肌の色も、個性です。

地球上には、さまざまな人種があって、
肌の色もさまざまです。
黄色くても、黒くても、白くても、それぞれに素敵です。

地黒な女性って、
とても健康的でポジティブに見えますよね。
まちがいなく、魅力的な武器だと思います。

欧米人への憧れを持つ女性もけっこういますが、
日本人は欧米人ではありません。

日本人らしい美しさを追求したほうが、
じつのところ、欧米人からもモテるのではないでしょうか。

「全身を撮るときに、
つま先立ちをする」

そんな人って、けっこういるんです。

どういうことかというと、
自分の身長が低いと思っていて、
それがあまり好きじゃないから、
少しでも背を高く見せようとするテクニックなんですね。

いろんな身長の女性を今までに撮影してきましたが、

身長は「ないものねだり」で
あることがほとんどです。

低い人は、
もっと高くなりたい。

高い人は、
もっと低くなりたい。

身長が低いと感じている人がもっと高くなりたいのは、
身長が高いほうがカッコよく、大人に見えるからだと思います。
「より高いところが見える」という実用的な理由ではないですよね。

女性が憧れるファッションモデルなどを見ても、
身長が高い人が多いです。

"身長が低い＝脚が短い" というコンプレックスを 持っている人もいます。

だから、つま先立ちすれば、
脚を長く見せることができるのです。

頭の大きさとの兼ね合いもあるようです。
いわゆる○頭身という考え方。

自分の頭が大きいなと感じている人は、 より身長が高ければ、 頭でっかちに見えにくくなると 思うのでしょう。

ないものをねだるより、あるものを誇ろう

高身長って、
まわりから憧れの対象として見られますよね。
それこそ、
「モデルみたい！」って持て囃されるんです。

ただ、身長が高い女性の話を聞いてみると、
「もっと女の子らしく小柄になりたかった」
「着られる服が限られるので嫌だ」
など、ならではの悩みがあるんですね。

身長を高く見せるのは、
外なら靴のヒールの高さなどで
かさ上げできるのでまだいいのですが、
身長を低く見せるのって本当に大変です。

身長が高い女性は、
猫背になりやすいんですね。
少しでも、低く見せたいという。

"ないものねだり"を
"あるものほこり"に。

ぜひ気持ちを変えてほしいなって思います。

身長が低いと、可愛らしく見えます。
女性を撮るときに、
丸まってもらったりすると、猫みたいで可愛いです。
そう、小さいものって可愛いんです。
低い身長は、可愛さというギフトだと思います。

身長が高いと、カッコよく見えます。
身長が高い女性はめずらしく、
それだけで個性的です。

当人がどう思おうと、
まわりは憧れの眼差しを向けているのです。
まず、その目線に気づきましょう。

大切なのは、
今の自分を認めて、好きになれること。
今の自分に合った生き方をすることです。

胸は大きくても小さくても、美しい

「胸は大きいほうがいい」なんていうのは、
時代錯誤のハラスメント発言。
実際のところ、胸が大きい人は、
とても悩んでいることが多いです。

肩こりなどの身体的な症状もさることながら、
性的興味があるように感じる視線への恐怖などから、
サラシなどを巻いて胸を大きく見せないようにして
生活している人の話も聞きます。

一方で、
胸が小さいことにコンプレックスを
感じる女性も多いことでしょう。

今は「自分の小さな胸を好きになろう」
というコンセプトの下着が発売されたり、
昔と比べると多様性が認められるようになってきました。
それでも、身長と同じように
"ないものねだり"になることが多いです。

ないものをねだるより、あるものを誇ろう

大きくても小さくても、
女性には胸があることによって、
身体にカーブが生まれます。
それも個性です。

美というものは、線から生まれます。

女性らしいカーブであったり、
直線であったり、
線が生み出す美というものは、
欲望的ではなく、根源的な美しさなのです。

大きすぎる、小さすぎるというのは、
個性的で魅力的であるはずなのです。

でも、
普通と違うということで、
特に子どもの頃は、からかわれたり、
好奇の眼差しを向けられることがあります。

子どもの頃は、
個性的であることが、
コンプレックスに
なりかねないのです。

「胸が大きいことがコンプレックスだったけれど、
人前で撮られることによって、
褒められることも多く、
自分の身体が好きになりました。
自信が持てるようになりました」

私は雑誌で女性のグラビア撮影を
担当することが多いのですが、
こんな話もよく聞きます。

大人になるにつれて、
個性を、人と違うことを
愛せるようになったとき、
コンプレックスは
チャームポイントに変わるんです。

太ももっていうぐらいだから、太くていいのでは？

ないものをねだるより、あるものを誇ろう

「太ももが太くて、夏に脚出すの嫌……」

言葉尻をとらえるようで嫌われそうですが、

太ももが太いって、
「頭痛が痛い」
みたいに
「そりゃそうだろう」
って感覚です。

……それは冗談としても、
太ももの太さを気にする女性は多いです。

昔、お人形遊びって、しませんでした？

お人形の脚って、枝みたいに細いですよね。
実際の人間に換算したら痩せすぎなんですけど、
子どもの頃のいわば憧れの存在なわけです。
ファッション雑誌などで
憧れの女性像となるモデルは、
脚がもれなく細いです。

生まれつきのものか、
たゆまぬ努力の結晶であるかはわかりませんが、

　　　理想像と
　　　自分の現実の姿なんて
　　　比較しちゃいけません。

　　そりゃあ、
　　落ち込むに決まってる。

　　そして、
　　無謀で病的なダイエットの道へ……

じつは、
脚が細くなればなるほど、
頭が大きく見えるんです。

身体って、バランスですから。

なので、
「細い脚ですね」って褒められるかもしれないけれど、
その分、頭が大きく見えてしまってるんです。

たぶん、いや絶対ですが、
小顔に見えたほうがいいですよね？

だったら、無理に脚を細くしすぎるのは、
やめにしましょう。

ダイエットや美容を
全否定しているわけではないんですよ。
理想の追い求めすぎに注意、ということです。

太ももの太さを気にしている人は、
ショートパンツやミニスカートを履くことに
抵抗があると思います。
無理に短いものを履く必要はないのですが、

過剰なまでに脚を出さない格好
（ロングのワンピースなど）
ばかりになってしまっていませんか？

コンプレックスを隠すことに躍起になってしまうと、
せっかくの魅力を表現できるファッションに
制限がかかってしまって、
もったいないです。

少しでも着れるもの、履けるものが増えてくると、
その分、
あなたの魅力を自由に表現することができるようになります。

日本人女性からすると極端な例に聞こえてしまうかもですが、
欧米の女性たちの多くは、
太ももの太さなんてまるで気にしていない様子。
世界平均で見て少し太めに見える太ももであっても、
堂々と出して歩いていたりします。

それを見て、
まわりは「ふとっ」「いやっ」なんて、思うでしょうか？

思うはずありませんよね。

どこか誇らしく見えてくるのは、
堂々としているからだと思います。

自分の好きなファッションがもしあれば、
コンプレックスをいったん置いて、
堂々と街を歩いてみてください。
そんなあなたを見て、
まわりの人たちは
きっと「いいな」って思うでしょうね。

美の追求って、極端なほうに走ると、
どこか不健康に見えてしまうもの。
自分の太ももに自信が持てなかったら、

「太ももって言うぐらいだから、太くていいのでは？」

なんて開き直ってみるのも、
時にはいいかもしれませんね。

脚の位置と姿勢を良くするだけで、生まれ変われる

ないものをねだるより、あるものを誇ろう

O 脚や X 脚など、
立ち姿の美しさに関わってくる
脚の形の悩み。

膝上と膝下のバランスが悪い。
たとえば、
膝下のふくらはぎが太くて悩んでいる。

脚の形やバランスが気に入らない。
だから、
パンツを履けない、脚を出せない、
だいたいロングのワンピースを着ている。

" 脚線美 " という言葉があるとおり、
脚は線で見せる美を追求する
女性が多いです。
細くて真っ直ぐな脚、
モデルのような脚を
理想とするのでしょう。

写真を撮る際は、まず真っ直ぐ立ってもらうのですが、
脚の位置は調整することが多いです。
脚をよりよく見せる立ち方というものがあるんです。

脚をクロスさせると、太ももを少し細く見せることができたり、
脚をハの字（つま先を内側）にすると、
ガニ股っぽく見えるのが解消されたり。

座り方、歩き方もあります。

座る時は足の甲を伸ばして、つま先をピンと張るようにすると、
脚を長く見せることができます。

ヒールを履くことで、歩くのは大変になるけれど、
脚は長く綺麗に見えます。

化粧のように、女性が自身をよりよく魅せるために、
着るものや履くものにこだわるのは素晴らしいことです。

ないものをねだるより、あるものを誇ろう

姿勢も重要です。

私もそうなのですが、猫背になっていると、
顔が前に出てきてしまうので、

身体に対して、
顔が大きく見えてしまいます。

姿勢が悪く見えると、印象もネガティブに見えることが多いです。

だから、私は撮影中によく言うんです。

「胸を張ってもらえますか？」

オードリーの春日さんぐらい胸を張るのはやりすぎとしても、
意識的に、胸を張って立ってみる、歩いてみる。

そうすると、姿勢が良くなり、腕も振れるようになり、
自信がある人に見えてくるのです。

化粧しなくても、表情を作らなくても、
だれでもかんたんに、一瞬で変われるんですよね。

もちろん猫背は癖になっているので、
かんたんには修正できないかもしれません。

でも、写真を撮るとき、家を出るとき、
ふと、胸を張ってみる。
目線も少し上を向くので、
地面よりも空を見ることができます。

俯くよりも、見上げよう。

空を見ると瞳が明るくなって、
写真写りでも、印象がアップします。
（ただ、写真に撮られるときは、あごを少し引くようにしてくださいね。
顔の形がよく見えますので）

上を向くほうが、考え方も前向きになれるはず。
そう、いいことづくめなんですね。

つま先、肩先、指先、毛先……

"先"に自信が宿ります。

先をぴしっと伸ばしてみてください。

今日から、今から、
胸を張って、立ちましょう。歩きましょう。

トゥース！

ないものをねだるより、あるものを誇ろう

"鏡の中の自分"を
好きになろう

化粧をするとき、髪型をチェックするとき、
なんとなく鏡を見ることもあると思います。

"鏡の中の自分"、

好きですか？

「好きじゃない」

そう答える人が多いのではないでしょうか。

鏡を見るとき、
ちょっとでもよく見えるように
意識すると思います。

目をキリッとさせたり。
自分の好きな角度から見たり。
なるべく痩せて見えるように気にしたり。
自分の嫌なところをなるべく見せないようにしたり。

それはまるで、撮影中にレンズを向けられたときのように、
どこかしら緊張感を生んでいます。
「だれかに見られている感じ」と言いますか。

鏡の場合、それは自分自身なんですね。

自分で自分を見るためには、鏡を見るしかありません。
しかし、自分以外の人があなたをどう見ているかというと、

鏡を見ていない
（自分がまわりの人からどう見えているかを意識していない）
ときなのです。

なので極論、いくら"鏡の中の自分"がいい角度で写っていても、
その角度からまわりの人が見てくれるわけではありません。

だから、
いったん諦^{あきら}めましょう。

鏡の中の
"理想的な"自分を
追求することを。

イメージしてみてください。

鏡の外の"現実的な"自分を、
我々は日常生活のなかで、晒しながら生きています。
なんていうと、
急に外に出ることが恥ずかしくなってしまうかもしれませんね。

そこでさらにイメージしてみてほしいのです。
そんな、鏡の外の"現実的な"自分の姿を見て、
みんな楽しく仲良く接してくれているのです。
だから、鏡を見ていないときの自分自身に、
少しでも自信を持ってほしいのです。

「もう鏡なんて見なくていい」という意味ではありません。
身だしなみを整えること、綺麗に化粧することも大切です。

理想の自分に向けて努力すること。
美しさを追求すること。

それらによって、
自分に自信を生み出すことができるのですから。

"鏡の中の自分"に、完璧さを求めないようにすることです。

写真家が言うのもアレですが、

"鏡の中の自分"は、
理想的な、たった一瞬の姿です。

"鏡の中の自分"に
笑いかけてみてください。

慣れないうちは、きっとうまく笑えないと思います。
自分の笑顔と向き合うのって、恥ずかしいですから。

理想が現実に変わるときに、
もしかしたら、
受け入れがたい自分の姿と向き合うことになるかもしれません。

ただ、そんな自分の姿を好きでいてくれる人たち、
褒めてくれる人たちを、思い出してみてください。
信じてみてください。

少しずつ、"鏡の中の自分"が、
好きになれるはずです。

3 章

自分を磨いて、
いつまでも魅力的に

隠すセルフィーから抜け出そう

女性は外へ出る前に、
きちんと化粧をする人が多いです。

「こんなすっぴんの自分を見せたくない」
「嫌な部分を隠したい」

そんな意味もあると思いますが、
ポジティブな意味合いも強いと思います。

「より美しく見せたい」
「自分に自信を持って街を歩きたい」

それっていいなって思うんです。
何より自分に自信が持てると、
姿勢も良くなるし、
顔もうつむきよりも前向きになれます。

私は整形も決して否定はしません。

歯の矯正だってそうですが、
結果的に、自信を持って前向きになれるのであれば、
ひとつの手段ではあると思います。

自分で自分を撮る（自撮り・セルフィーする）ときに、
人に見せる（SNSにアップする）前提だと、
修正したり加工しますよね。
外に出るときに化粧をするように、
自然なことです。

最近は、スマホでだれでもかんたんに
写真を修正できるようになりました。
素晴らしい時代です。
肌を綺麗にしたり、目を大きくしたり。
いわばデジタル化粧、デジタル整形
みたいな感覚でしょうか。

写真の世界の中では、
もっと理想に近い自分でありたい。
SNSなどのインターネット上の交流が
主になりつつある時代だからこそ、
写真の修正や加工も、
化粧や整形みたいなものだなと思っています。

ただ、ちょっと思うことがあります。

"盛りグセ"がつきすぎてしまうと、
修正、加工前のありのままの自分を
好きになることが難しくなってしまうんですよね。

どんな時代になっても、
修正、加工された理想的な自分のイメージよりも、
ありのままの現実的な自分のイメージを背負いながら、
我々は生きています。
そんななかで、
化粧したりして、美しさを追求して、自信を獲得して、
生きやすくなることは大切です。

その一方、
できることなら、なるべく盛りすぎない、

ありのままの自分を
好きになれると、
もっともっと
生きやすくなると思うんです。

人に見せない前提でいいので、
修正、加工しない、

ありのままの姿を
セルフィーして
ほしいのです。

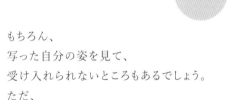

もちろん、
写った自分の姿を見て、
受け入れられないところもあるでしょう。
ただ、
それでも隠すセルフィーから
抜け出してみることをおすすめします。

嫌なところが目についたとしても、
そのなかで少しでも
「いいかも」「嫌いじゃないかも」
といった魅力に気づくことができたなら、
素晴らしいことです。

武器を研ぐように、自分を磨こう

　自分を磨いて、いつまでも魅力的に

今ある自分の身体は、
親から与えられた
"大切な個性"です。

少しでも肯定できる、好きになれそうなものがあれば、
磨いていきましょう。

「顔も脚も何もかも自信が持てないけれど、
デコルテなら自信がなくはないかな」

それぐらいでもまったく問題ありません。

すぐに、
人前に出せなくても、
大丈夫です。

お風呂あがりに、保湿クリームを塗ったり。
気になるなら、脱毛してみたり。

まずは自分だけが見ているところで、
磨いていきましょう。

そうすると、
内なる自信が少しずつ湧いてきます。
そのうち、磨き続けた成果を
ちょっと人前に出してみたいと
思えるようになってくるでしょう。

着る服が、変わってくるはずです。

今まではまったく肌を出すことができなかったのに、
たとえばデコルテを、
自信を持って出すことができるようになります。

着る服が変わると、
まわりからの印象も変わります。
「デコルテが、綺麗ですね」と褒められるようになります。

人から言われた褒め言葉は、
真に受けましょう。
嘘で褒める意味なんて、ないですから。
内なる自信が、外からも強化されて、
揺るぎない自信になってきます。

そう。
あなたのデコルテは、
武器(チャームポイント)になったのです。

些細なところから、磨いていきましょう。

爪を磨くところから、始めましょう。
まずは、清潔であることです。
清潔と自信は、つながっています。

部屋を綺麗にしたら、
友達を招待したくなりますよね。
清潔であることは、
人前に胸を張って出られるということです。

まわりの人たちは、
あなたの顔や身体のパーツを、
それほど気にしていません。

もちろん好みはありますが、
人としての評価は変わりません。

自分磨きをしている人は、
清潔で、内なる自信を持っていて、
魅力的に見えます。

目つきが変わります。姿勢も良くなります。
まわりから見て、人としての評価が高まります。

褒められることが、増えてきます。
思わぬところを、褒めてもらえるようになります。

それが、あなたの新しい自信につながっていきます。
そして自信は、自分にとっての武器になるのです。

そんな"いい循環"を目指して、
自分を磨いていきましょう。

いくつになっても、"可愛い"は作れる

それでも、
自分に自信が持てないあなたへ。
コンプレックスに取り憑かれてしまった、
あなたへ。

大丈夫です。

磨けるものがない。
何も自分のいいところが見つからない。
だったら、新しく作りましょう。

どんな自分に、
なってみたいですか?

理想を、描きましょう。
なりたい人を、思い浮かべましょう。

比較する必要なんて、ありません。
参考にしましょう。真似してみましょう。

できるところから、始めてみましょう。

自分を磨いて、いつまでも魅力的に

"可愛い"は、作れます。
愛想と愛嬌を、
心がけましょう。

気持ちよく挨拶するところから、
始めましょう。

話すときに、相手の目を見ましょう。

身振り手振りを、つけて話してみましょう。
身体を動かすと、感情も動きます。

よく笑いましょう。
楽しい話を、たくさんしましょう。

可愛いものを、ひそかに身につけましょう。
外側から変えていくことで、
内側も変わっていきます。

可愛くなれば、
愛されます。

可愛いかどうかは、
ルックスやスタイルとは関係ありません。
年齢も性別も、関係ないのです。

可愛いおばあちゃん、素敵です。
愛想と愛嬌があって、年齢相応の可愛らしさ。
ああなりたいものです。

愛されることによって、
自信がついてきます。

自分をうまく
愛せないなら、
愛されるように
なりましょう。

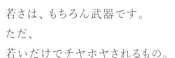

"色気"は、自信とつながっている

若さは、もちろん武器です。
ただ、
若いだけでチヤホヤされるもの。

若さが武器に
感じられなく
なってきてからが、
人生の本番だと
思うのです。

エイジング・コンプレックスを、乗り越えて。
歳をとるほどに、魅力的な女性になるために、
いい歳のとり方をしましょう。

"色気"だって、
作れます。

それは、
自分に自信を持つための色気です。
異性を発情させるための装置ではなく、
大人の女性として、
胸を張って魅力的に生きるための武器なのです。

女の子から女性へと変貌していくなかに、
コンプレックスをチャームポイントに変えていく
秘訣があるのです。

色気は、
唇や肌や身体のメリハリによって、
生み出すことができます。

だれにだって、
できることなのです。

自分を磨いて、いつまでも魅力的に

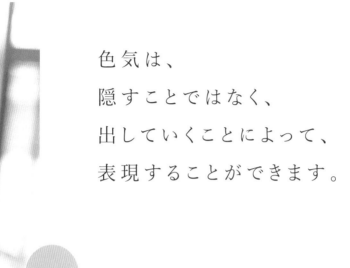

色気は、
隠すことではなく、
出していくことによって、
表現することができます。

もちろん、潜ませることもできますが、
自分が嫌いじゃない部分がもしあるのであれば、
好きまでいかなくとも、出してみましょう。

デコルテを出してみたり。
耳やうなじを出してみたり。

もしも恥ずかしければ、
まずは近所だけでも大丈夫です。
友達の前だけでも、
恋人の前だけでも、いいのです。

新しい経験のその先に、
新しい自分が待っています。

自分じゃない人の前で、
自分を出していくこと。

それは、経験です。

コンプレックスが武器になれば、個性も輝く

- ・目
- ・笑顔
- ・歯
- ・ほうれい線
- ・鼻
- ・おでこ
- ・眉毛
- ・顔の輪郭
- ・肌
- ・唇
- ・身長
- ・胸
- ・太もも
- ・脚
- ・姿勢

これまで、以上について書いてきましたが

「自分の顔や身体にコンプレックスがありますか？」

と聞くと、
ほかにも人それぞれ
本当に多くのコンプレックスがあります。

言うなれば、コンプレックスも個性なんです。

だから、コンプレックスが
武器（チャームポイント）になれば、
個性も輝くんじゃないかな
と思います。

「肩幅があるから、オフショルを着れない」
という女性がいました。
なぜ肩幅があるかというと、
スポーツをずっとしてきたから。

それって、本来は誇るべきことですよね。

胸が大きい女性も、小さい女性も、
まるで身長のように、
それぞれにコンプレックスを抱えていることが多いです。

でも、まわりの人からすると、
髪が長いほうが好き、短いほうが好き、
ぐらいの好みの傾向でしかありません。
どちらにしても、
好きでいてくれる人は必ずいます。

コンプレックスを抱くようになったきっかけを聞いてみると、
けっこう多いのが、
子どもの頃に言われた何てことのないひと言だったりします。

姉妹で比べられたり、
狭い世界の中でラベルを貼られてしまうのです。

だれかと比べられて、自分が劣っていると感じてしまう。
自分の顔や身体に対する自信を失ってしまう。
人の目を気にするようになり、性格も内向的になってしまう。

自己肯定感は、
生きやすさと比例します。

自分を認めてあげる要因として、
見た目というのはとても大きいもの。

だからこそ、
私は撮影を通して女性のコンプレックスを武器に変えて、
個性輝く、自信あふれる、
生きやすい人生を送ってもらえたらと考えています。

じつは私自身も、コンプレックスのかたまりでした。
痩せすぎで馬鹿にされていた時代も、
太ってきて馬鹿にされていた時代もあります。

だから、写真に撮られることも苦手でした。
うまく笑えなかったし、写ってる自分なんて見たくもなかったです。

写真を撮りはじめた時に、
ためしに自分がジャンプしている姿を、
セルフタイマーで撮ってみたんです。
その時の、自分が跳んでる写真を見て、
笑ってしまったんですね。

それから、自分を見る目が変わりました。

自分にも、こんな面白い瞬間があるんだ。
自分なんて、つまらない人間だって思っていたけれど、
写真を通して、自分を見つめ直して、
ちょっとずつ自信が持てるようになれるかもしれない。

そんな気持ちで、写真を続けています。

そして今、まわりにいるであろう、たくさんのコンプレックスに悩み、
自分を発揮できない、自信を持てない女性たちのために、
写真を撮りたい。

そう。そんなあなたのために、写真が撮りたいんです。

あなたは、
いつだって、輝いている。

コンプレックスも、魅力的。個性的。

みんなと違う、
だから
「あなたはあなた」
なのです。

もし「撮られたい」という気持ちが、
少しでも生まれてくれたとしたら、

あなたは、
さらに新しい自分を見つける一歩目を、
踏み出すことができたと言えるでしょう。

青山 裕企

Yuki Aoyama

写真家。

1978年、愛知県名古屋市生まれ。

2002年、自転車日本縦断と世界2周の旅の道中で、写真の道で生きることを決意。

2005年、筑波大学人間学類心理学専攻卒業（卒論テーマ：テンションの上げ方）後、上京して写真家として独立。

2007年、キヤノン写真新世紀優秀賞（南條史生選）受賞。

ギャラリー・出版レーベル・オンラインコミュニティを運営。現在、東京都在住。

『ソラリーマン』『SCHOOLGIRL COMPLEX』『少女礼讃』など、"日本社会における記号的な存在"をモチーフにしたポートレート作品を制作。2009年より写真集などの著書を刊行、現在100冊を突破（翻訳版も多数）。『SCHOOLGIRL COMPLEX』は、2013年に映画化、写真集は累計10万部以上のベストセラーとなる。

吉高由里子・指原莉乃・生駒里奈・オリエンタルラジオなど、時代のアイコンとなる女優・アイドル・タレントの写真集の撮影を担当。一般人からトップアイドルまで、年間200人以上、延べ5,000人以上の女性を撮影。広告・企業・雑誌のグラビア・書籍の装丁・CD・アーティスト写真など、ポートレート撮影を中心に活動。撮るだけでなく、書く仕事（エッセイ・写真実用書）、教える仕事（講演・ワークショップ・講師）などもおこなう。TV・ラジオなど、メディア出演多数。

Web	https://yukiao.jp
X	https://x.com/yukiao
Instagram	https://www.instagram.com/yukiao.jp

STAFF CREDIT

デザイン　柴田ユウスケ（soda design）

編集　　傳 智之

MODEL CREDIT

前田一葉／阿部百衣子／園田みく／宮崎栞／梶川七海／ほのか／ asumi
金森優花／でじこ／育実／Ayumi ／あかね／丸井桜子／ナラかほ
羽香 -uka- ／まいまい／あおい／あこ

▪ 問い合わせ先
〒 162-0846　東京都新宿区市谷左内町21-13
株式会社技術評論社　書籍編集部
「コンプレックスは武器になる。」係
FAX:03-3513-6181
Web:https://gihyo.jp/book/2024/978-4-297-14238-4

コンプレックスは武器になる。

2024年 7月 31日　初版　第1刷発行

著者　　　青山裕企（あおやまゆうき）

発行者　　片岡巌

発行所　　株式会社技術評論社
　　　　　東京都新宿区市谷左内町21-13
　　　　　電話　03-3513-6150　販売促進部
　　　　　　　　03-3513-6185　書籍編集部

印刷・製本　株式会社加藤文明社

ISBN978-4-297-14238-4　C0095
Printed in Japan